항상 혼자였던 내가 하고 싶었던 말
늘 그랬듯 옆에만 있어줘

늘 그랬듯 옆에만 있어줘

발   행 | 2025년 2월 12일
저   자 | 정해연
펴낸이 | 한건희
펴낸곳 | 주식회사 부크크
출판사등록 | 2014.07.15.(제2014-16호)
주   소 | 서울특별시 금천구 가산디지털1로 119 SK트윈타워 A동 305호
전   화 | 1670-8316
이메일 | info@bookk.co.kr

ISBN | 979-11-419-8723-7

www.bookk.co.kr

늘 그랬듯

옆에만 있어줘

정해연 지음

index

이 책에는 대인관계로 우울하고 힘든 분들의

마음을 위로해드릴

조금은 어설픈 시집 입니다

이 책을 보시고 힘들어 하시는

분들이 조금이 나마 위로가 되셨으면 좋겠습니다.♥

제1화

시선

시 선

처음에는 괜찮을 줄만 알았어..
하지만 그건 내 착각인거 같더라
점점 날 보는 세상 시선이 달랐거든

예전에는 느낄수 조차 없던
그리 차갑고, 아픈 시선을

만남

내가 생각하는 만남은 그런거같아
아주 소중한 {인연} 그래서 난 널
만난게 아주 값지고 소중한 만남이었어

거리

너와 손을 마주잡고 걷던 이 거리
너와 같이 걸었을 때는 이길이

꽉 찼었는데 너 없는 이 거리는
한 없이 널기만해

한번 이라도 이거리를 걷다가 돌아보면
날 보며 밝게 웃어주던 너가 있기를

거리를 걷다가 너의 차분하고 고았던 목소리로
내이름을 불러주었던 너가 있어주길 바래

웃음 소리

그대와 함께 있다면 울려 퍼지던
웃음소리가 어느순간 그소리는 내마음속에
맺쳐 작은 물방울이 되어 버렸죠

그대도 기억할까요? 그렇게 우리가 세상 모르고
웃고, 울던 시간을, 희미하게 기억해도 좋아요.
지우지만 말아줘요 그렇게 웃고 떠들었던 우리의
좋았던 시간들을

회피

항상 날보면 인사를 해주었던
너인데 어느세 넌 나를 (**회피**) 하더라고

먼저 다가가고 싶지만
큰용기가 나지 않아

나 없이도 잘웃는 너에게
차마 다가갈 수가 없었어

난 뭐가 그렇게 두려웠던 걸까..
내 마음은 이게 아닌데

마음

마음 이란 이 두글자의
말에 넌 어떤 생각을 할까

혹시 너도 마음 한 구석엔
나와 같은 마음이 잠들어 있는 거라면

그럼 내게 기회를 줄래?
내가 그때는 다시 너가 애기하는

마음의 이야기를 좀더 빨리 알아채서
너 마음에 다시는 그런 상처가 너의 마음에
생기지 않기를

멀리 에서만

나 이럴자격 없지만
이렇게 해서 라도 멀리에서 라도
널 볼수있게 해줘.

멀리에서 라도 너의 꿈을
응원 할수 있게 해줘

정말 그이상도 말고 딱
너가 보이는 만큼의
거리에서만

허전함

너가 있을때는 차마 알지 못했는데
막상 너가 없으니 밀려오는 이 허전함은

무엇일까..

너의 그 자리가 그렇게 컸다는 거를
왜 너와 멀어 지고 나서야 알게된 걸까

좀더 빨리 알수 있는 방법이 있었다면
아니, 내가 차라리 더용기내서 손을 내밀었다면

우리서로가 이 **허전함** 이라는 공간 안에 잠겨
있을 일은 없을테니까

한 사람만

이제야 난 깨달았어요. 오직
내가 무슨일이 있을 때 한결같이 옆에

있어주었던 한 사람,

기쁜일이 있을땐 함께 웃어주고,
내가 슬픈일 있으면 함께 울어주고.
화나는 일이 있으면 같이 내 일인 것처럼

화를 내주었던 그대,

생각해보면 난 그대만 있으면
되는 거였어요. 날 그누구보다 잘아는

한사람, **한사람만** 있으면되요

점심 시간

이 시간은 너가 가장 좋아했던
시간인데 매일 이시간쯤 되면

오늘 뭐 나오냐며 나한데 물어보곤
했었지

이시간 마다 수다를 떨면서 함께
같이 먹었던 점심 맛있었는데

그러다가 내가 밥 남기면 왜 그것밖에
안먹냐며 늘 걱정을 해주었지

이제는 이시간을 나혼자있네
왠지모르게 밥이 차가워 너랑 먹으면
따뜻했는데

산책

너와 늘 사계절을 여기에서
산책을 했었지,

꽃이 이쁘게 폈었던 봄. 더위가 무심했던 여름
낙엽으로 장난 많이 쳤었던 가을, 너와

눈싸움을 많이 했던 겨울까지 이제 나혼자
산책을해

제 2 화

소나기

소나기

벌써 장마가 왔나봐
창문밖에 빗줄기가 거세게 내려,

마치 저 하늘도 내 마음을 아는것처럼
나 대신 울어주기라도 하듯

저 소나기가 다 그칠 때쯤
내 힘듦과 우울감도 다 저 소나기로

흘러가길, 바라고, 또 바래봅니다.

축 처진 어깨

혹시 그대의 하루는 어떤하루였나요?
너무 고되고 힘이겨운 하루였나요?

그런 하루를 보낸 그대, 너무 수고 많았어요.
너무 여태까지 잘해왔잖아요

그러니 자신감을 가지고 어깨를 펴요 그대는
그럴 자격이 충분하니까

혼자

그대 없이 혼자 걷는 이 길이 참으로
넓어 보이기만 합니다. 어두운 긴밤, 고요한 시간

혼자 남은 내마음은 그리움,
밤 하늘에 비치는 저 달빛

외로움의 그림자를 드리우네

기억의 조각들이 떠오르네,
나혼자 걷는 길 위, 발자국 소리,

그대와 함께한 시간들, 잊지 않을 것이다.

관계

서로의 마음을 나누는 사이
작은 말이였지만 그 한마디가

나에게 위로가 되었어
때로는 아픔을 감추고,
또 어떨때는 눈물을 함께 나누네.

그 험난하다는 길도 함께 가기에
마음에 짐들이 가벼워 지곤해

때론 다툼도 피할순 없지만
그속에서 더 깊어지는 이해 라고
생각할게.

우리의 관계는 그렇게 자라나서
서로의 아픔을 보듬는 힘으로.

힘든날, 너가 있어 고마워
작은 위로 하나가 나에게 큰 힘이돼
함께하는 이순간.

영원히 소중하게 간직할게.

"어쩌면 이모든게 여러분들이 원하는"
(관계) 아닐까요?

오뚜기

누군가 그런 말을 해주더라,
사람은 누구나 실수를 하고

넘어질 수 있다고.
그러면서 내 자신이
성장해 나가는 거라고.

그 말을 듣고 난
오뚜기가 되기로 했어

다른 사람들이 한번 넘어져서
가만히 갈팡지팡 하고 있을 때
난 흔들리지 않고.

오뚜기처럼 일어나
내 꿈을 향해 달릴거니까.

오르막길

오르막길에 서서
한걸음씩 내딛는 너,

가끔은 힘에 겨울 때에도
있겠지.

하지만 기억해,
너의 곁엔 내가 있어,
함께 걸어가는 이 길

이 길의 끝은 어딜까,
희망의 빛이 비추는 곳,
이겨내고 도달한 순간,
우리는 단단해져.

오르막길의 고단함도
너와 나의 우정이
더 깊어지길 바래.

언제나 함께 할게,
우리의 길이 밝게 비추길.
힘을내렴,
우린 결코 혼자가 아니야

쓸쓸함

쓸쓸함은 잠시의 그림자,
가슴 속에 새겨진 기억,
너와 나눈 웃음들이
이 위로의 노래가 되어.

마음의 문을 열고,
세상을 향해 나아가,
혼자라고 느낄 때마다
너의 이름을 부르렴

우리는 서로의 빛이되어,
어두운 길을 함께 걸어,
쓸쓸함이 사라지는 그날,
다시 만날 날을 기다려.

생각

그대의 생각은 소중해,
그 어떤 고민도 가치 있어,
흘러가는 구름처럼
잠시 멈추고 숨 쉬어.

세상이 덮치는 그 무게.
혼자 감당하기 힘들면,
언제든 내 어깨를 빌려줄게,
함께 나누는 그 순간

조금씩 나아가다 보면,
새로운 길이 열릴 거야,
생각의 나래를 펼치고
희망의 꿈을 그려보는거야.

생각의 바다에 잠기고,
파도처럼 밀려오는 걱정들,
어디로 흘러가야 할지
길을 잃은 듯한 마음.

어둠 속에서도 빛을 찾아,
작은 불빛이 라도 되어보자.
서로의 아픔을 듣고
위로의 노래를 부르자

눈치

눈치 라는 미로 안에서,
우리는 같은 장소, 다른 거리에서 바라보며,
가끔은 말없이 지나치는,
그리움만 쌓여 가네.

"괜찮아?" 작은 질문에도,
너의 눈빛은 대답을 담고,
나는 그 속에 담긴 이야기,
한 조각의 진심을 느껴

대인관계의 미세한 줄,
서로의 감정을 엮어주고,
눈치로 채운 간격 속에,
우리의 우정이 자라 날거야.

마음의 짐을 덜고
조용히 손을 내밀면,
눈치가 아닌 진심이
서로를 감싸 줄거야.

가끔은 쉬어가도 좋아,
눈치 없는 시간 속에
우리의 이야기를 나누자.

억갈린 사이

바람에 실려온 너의 목소리,
귓가에 맴도는 그 따스한 느낌,

잊지 못할 순간들,
잃어버린 시간, 다시 찾고 싶어.

너와 나의 인연,
어둠속에서도 빛나는 기억.

너의 마음의 소리를 다시 듣고 싶어.
서로의 안부 묻는 그날을.

억갈린 사이,

그러니 잊지말자,

우리의 우정은 끝나지 않았어.

조금의 시간, 조금의 용기를

내어 서로의 손을 다시 잡아.

먹구름

먹구름, 하늘을 가린 그늘,
우리의 마음이 무겁게 짖누르네.

해가 나오지 않는 어두운날,
우린 멀어져 가고,

눈빛 속에는 걱정이 흐르네.
친구의 웃음, 이제는 희미 하기만 하고
눈물의 비가 금방이라도 내릴거 같은 기분이랄까..

하지만 먹구름 뒤엔
언제나 밝은 태양이 기다릴테니.

서로가 그 **먹구름** 의 비를 맞으며,
더 깊어지는 우정, 다시 피어날 수있을거야.

하늘이 맑아지는 그날 까지,
서로의 자리에서 힘이되어주자.
먹구름이 지나가고 난 후에,
우리는 더 빛나는 날들을 맞이 할테니.

불안

불안한 마음, 휘청이는 걸음,
희미한 내 미래는 어디로 가는지.
사람들과의 관계는 때론 어렵고,

너무 편안한 친밀함에 속아 너의
소중함을 알아체지 못해 차마
말로 전하지 못한 속마음을

그걸 너가 알아줄 수있을까?..
불안을 나누는건 용기있는일.
아픈 마음을 말할 수있어야해.

너가 곁에 있어주길 바래,
나도 너를 위해 곁에 있을게.

우리의 우정은 비바람 속에서도
서로의 마음을 지킬 수 있는 힘이야.

불안 속에서도 우린 연결 되어,
서로 마음의 이야기를 나누다 보면
불안은 조금씩 사라질거야.

다시 웃을 수 있는 날을 기다려.

용기가 나지 않는 {나}

용기가 나지 않는 나,
작은 꿈조차 두려워 숨죽여.

한걸음 내딛고 싶은 마음,
하지만 마음과 달리 내 발걸음은
더욱 무겁네.

날 바라보는 주변의 시선 그 무게가
내 마음을 짓누르는 바람처럼.

이 길이 맞는지, 자꾸 의심해,
내안의 목소리가 작아져 가.

친구의 눈빛, 따뜻한 손길,
하지만 그럴수록 더 움츠러들어.

하고 싶은 말은 많지만 어떻게
시작할지 모르겠고

용기가 나지 않아,
주저하고 있어.

신호

아픔과 슬픔이 교차하는 순간,
우리의 우정이 빛나는 신호가 돼.

한줄기 빛이 어둠을 뚫고,
너의 마음에 닿기를 바라네,
우리가 나누었던 소소한 이야기,
그 안에 숨겨진 따뜻한 신호.

저기 하늘에 별이 빛나듯,
너의 존재는 나의 위로,
서로를 향한 마음의 신호,

"영원히 잊지 않을거야"

다가가기엔

작은 한 걸음이 큰 힘이돼,
너의 곁에는 내가 있다는 걸 기억해,
다정한 미소로 세상을 채워가.

조용히 내딛는 용기,
그 작은 한걸음이
서로를 잇는 다리가 돼.

다가가기엔, 두려움이 앞서도
한 걸음씩, 천천히 나아가 보는거야,
희망의 길은 항상 널 기다리고 있어,

넌 결코 혼자가 아냐.

선택

선택은 나의 몫,
무엇이 진정한 행복인지,
조심스레 고민해봐야해

때론 그 선택이,
아픔을 가져올지라도,
그 과정 속에서 배우고,
더 나은 나로 성장할 것이다.

주위를 바라보면, 서로가 선택해,
이해와 공감을 통해 다가서는 거야.

어떤 길을 선택하든, 후회하지 말고
시간 속에서 행복을 찾는거야.

되돌릴 수만 있다면

시간은 흐르고, 마음은 아프지만,
우리의 언어가 다시 닿을 수 있도록
작은 용기를 내어 다가가고 싶어

아쉬운 날들, 지나간 시간 속에
우정의 빛이 아직 남아 있기를.

되돌릴 수만 있다면
서로 손을 잡고 함께 걷던 날로
돌아가고 싶어.

아픔

누군가에게 아픈데 차마 아프다고
말하지 못하고 괴로운데 괴롭다고 못말하는 넌

마음속 아픔이 얼마나 컸으면
말하지 못했니.

아픔이 깊은 만큼,

서로의 상처를 보듬고,

너가 더는 아파 하지 않게

내가 그 아픔에 상처를 치유할게,

다시 너가 아파하지 않도록.

제 3 화

○

○

○

성숙

성숙

성숙이란건 어쩌면 되게 아픈길,
성숙하지 않아도 되는 상황에서
마음속 상처까지 삼키는 "나"

"괜찮다고 이상처는 시간이 약이 되어줄거라고"
애써 내 자신을 다독여 본다.

어쩌면 이 성숙 이라는 계단에 내가
너무 빨리 올라 온거 아닐까?..

이해

세상은 때론 불공평해,
너의 마음의 무게는 너무 무겁고,
말로 표현할 수 없는 아픔 일텐데.

하지만 그런 너의 마음을 누군가는
꼭 알아줄거야.

이해는 때로는 어려운 일,
상처를 껴인고 있는 너에게
진심 어린 귀 기울림이,
따스한 위로가 되어줄 테니.

그러니 힘내, 괜찮아,
너의 이야기를 나에게 들려주렴
함께 나누는 순간이,
우리에게 큰 힘이 될 테니

익숙해져
버려서

시간은 멈추지 않고,
계속해서 흐르지만,
익숙해져 버린 이 순간,

어떻게든 견뎌낼 수 있기를
내안의 깊은 곳에서,
조금씩 웃어보려해

힘든 날도 지나가고,
언젠가는 다시 웃겠지,

익숙해져 버린 슬픔 속에서,
새로운 나를 발견할 수 있기를.

밝은 모습 뒤엔

밝은 모습 뒤에 감춘 슬픔이,
고요히 흐르는 눈물의 강,
미소 속에 감춰진 마음의 아픔,

세상은 광채로 가득해 보여도,
나는 알아, 너의 안에 어둠은
숨을 잘 못 쉬고, 그리 빛나는 얼굴에
고독함이 있다는걸.

그대는 혹시 그대가 가지고 있는
비밀을 알고 있나요?

환한 미소를 짓지만,
그 안의 외로움은,
아무도 보지 못하는 비밀 이라는걸

언제부터인가,
그대는 행복이란 이름의 가면을 쓰고,
진짜 감정을 잊어버린 채,
혼자서 싸우고 있는 그대.

괜찮은 척

하늘은 맑고, 햇살은 따스해,
내 마음의 구름은 여전히 어두운데
아무도 모르게 웃음 지으며

괜찮은 척, 괜찮은 척, 속으로 되뇌어.
사실 하나도 괜찮지 않은데 말야.

그대도 혹시 그런날 있나요?
내 마음의 벽을 쌓고
눈물은 가슴 속에 묻어두고

그 누구도 나의 진짜 모습을
알지 못하게, 숨기고 싶은날.

나 또한 그런날이 있어요.
하지만 너무 힘겨운 밤,
별빛이 내 마음을 감싸주고

작은 희망이 불빛이 나를 비춰줘
괜찮지 않아도 괜찮다고 속삭여.

제 4 화

혼적

흔적

흔적 이란건 어쩌면,
아픈 상처일 수도,
소중한 기억의 흔적으로 남아.

흔적은 지나간 시간의 증거,
그 속에 나의 성장과 변화를

,

어두운 길을 밝혀주는 빛이 되길
또한 희망의 씨앗으로 자라나리,

이 길

이 길 끝에는 무엇이 기다릴까
처음 가보는 길 이기에 무섭고, 두려울수 있어

하지만 이 어두운 길을 지나면
희망의 꽃이 피어난 곳에 와있을거야.

어떤 길을 걸어가든 상관없어,
중요한 건 너가 지금,

이 길을 가기 위해,
포기 하지 않고,

조금씩 나아가고,
있다는 거니까,

그래서 그 자체로 만으로,
"충분하니까"

통화

긴 하루를 마치고 너에게
거는 연결음.

너의 목소리 들리면
뭔가 모르게 멀리 있어도, 가까운 느낌,
내 마음속 작은 안식처가 되네.

거리의 소음, 마음의 고요
전화기 너머, 나를 감싸네

어떤 말로도 다 표현 못해
이 감정을.

그저 너의 목소리를
듣는거 만 으로도 잔잔한 미소가
번지니까.

가짜 웃음

친구들 사이 에서는
웃음 짓고, 말없이 눈물 흘렸어.
너에게 슬픈 모습 보여주기 싫었으니까

그래서 난, 괜찮다고, 또 고개를
숙였어.

"미안해"

가짜 웃음 속에 나를 숨기고,
진정한 나를 잃어버린 듯해.

하지만 희망의 작은 불빛은
있어.

이젠 가짜 웃음 이 아닌,
진정한 미소를 찾을수 있길.

제 5 화

비

비

창 밖에 비가 내려,
마치 나 대신 울어주기 라도
하듯이 말이야.

슬픔을 씻어주는 듯한 그 속삭임,
흙냄새와 함께 떠오르는 그리움,

어릴 적 뛰어놀던 기억들,
비는 내 기억을 다시 일으켜 세워지고,
잊고 있던 웃음을 되찾게해.

말이 가져오는 변화

말이라는 언어 하나 때문에
상처 받은 넌 얼마나 마음이
타들어 가듯 아팠을까..

그 아픔을 차마 말을 할수 없기에
내가 옆에서 기둥이 되어 안아줄게
내가 유일하게 할수 있는건 그거니까.

앞으로 내가 힘이 되는말을 해줄게,
할 수 있어, 넌 잘해낼거야,
넌 나한데 특별해, 힘내, 누군가 들으면
되게 단순한 말이다. 라고 생각하겠지만,

너한데는 되게 필요했던 말이고,
듣고 싶었던 말이 였잖아.

빈 자리

우리가 함께한 12년의 시간,
추억들이 머릿속에 맴돌아.

서로 많이 장난도 치고 했던 날들,
그래서 그런가 빈 자리가 크게만 느껴져.

너와 웃고, 울던 그 공간에,
이제 더 이상 너 목소리를 들을수 없다는걸 알고,

난 늘 밤마다 숨죽여 울었어.,
친구인 너가 내 곁에 없다는게 슬퍼서
넌 괜찮았니?..

마음의 소리

마음의 소리에 귀 기울여봐,
이 소리가 너 마음에 닿기를,
간절히 기도해.

마음의 소리, 그안에 담긴

너의 시그널, 왜 아제서야 듣게 되었을까,

왜 아제서야 알았을까.

고마움

말하지 못했던 마음들이
오늘은 꽃잎이 피어나,

너가 건네준 작은 미소가
내 하루를 비추는 별빛되어.

때론 힘들다 말하지 않아도
그저 내 곁에 머물러주는 너

그 따스한 마음이
내 삶의 가장 큰 선물이야

"고마워

이 책은 제가 초중고 시절 한참 어리석고,
조금은 엉뚱했던 아이가 조금씩 성장해 가며, 가장 친했던
친구와 좀 멀어졌을 때 겪은 슬픔과 힘들었던 감정과 그리고
그것을 극복할려는 글을 담고 있으며, 저처럼 관계 속에
어려움을 겪었던 독자분이나, 혹은 지금도 여전히 겪고 있는
독자 분들게 서툴지만 작은 위로와 힘을 드리고 싶은 마음에
[늘 그랬듯 내옆에만 있어줘] 라는 시집을 지필하게 되었습니
다.

제가 생각하는 관계는 그런거같아요.

때론 정말 쉽지 않고, 그래서 싸우기도 하고

다시 서로를 이해하면서 다시 돌아오는, 마치 하나의

민들레 같아요. 독자분들도 가장 친한 친구를 떠올려 보세요.

여러명이 아닌 정말 내가 너무 힘들 때 내편이 되어주고

한결처럼 내 옆에 있어주는 그런 한명의 친구말이에요.

그런 친구야말로 진정한 친구에요. 친구에게 차마 전하지

못했던 말을 해보는건 어떨까요? 내 친구 해줘서 고맙다고

하면서 진짜 딱 한번 포근하게 안아줘요. 그럼 지금보단 더

사이가 돈독해질 테니까요!ㅎㅎ 제가 독자분들 앞으로의

일들을 이렇게 글로 라도 응원 메시지를 보낼게요. ☺